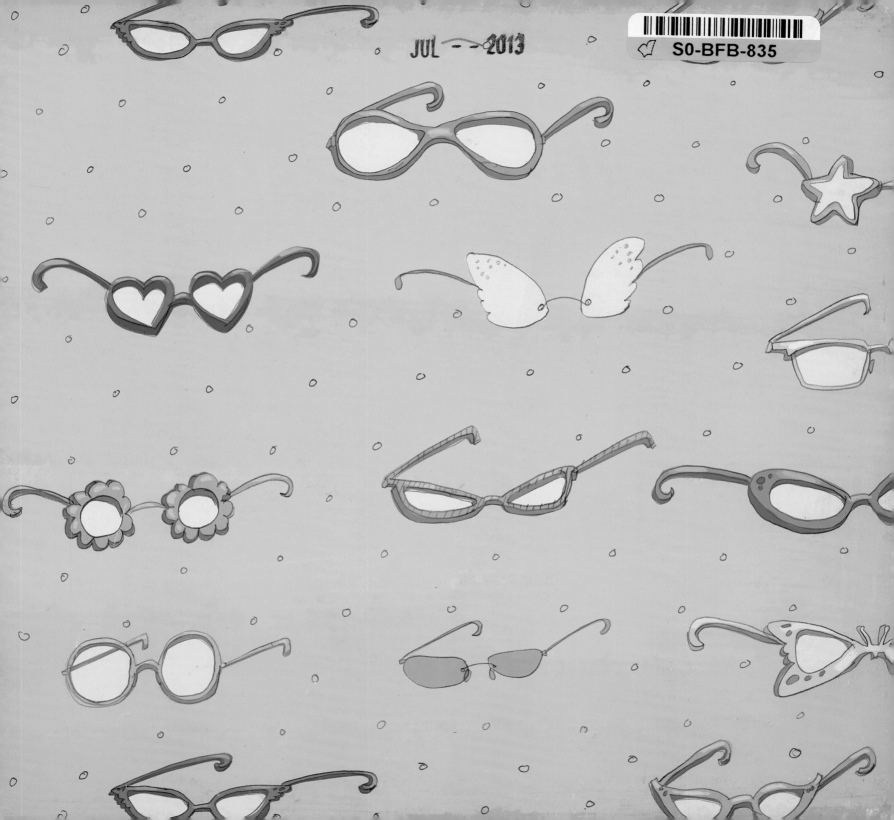

Princesa Belinda

de **Pam Calvert**

ilustrado por **Tuesday Mourning**

ediciones jaguar

miau

©2010. Ediciones Jaguar
www.edicionesjaguar.com
jaguar@edicionesjaguar.com

©Textos: Pam Calvert
©Ilustración: Tuesday Mourning
©Traducción: Pilar Almagro López
©De la edición original: Marshall Cavendish Children

ISBN: 978-84-96423-83-1
Depósito legal: M-21631-2010

A mi ayudante y a mis padres,
quienes amorosamente me apoyaron
cuando no quería llevar mis gafas
P.C.

A Jon y Atticus.
Gracias por todo
el amor y el apoyo
T.M.

A la **Princesa Belinda** le encanta llevar gafas.

De hecho, tiene un par para cada ocasión.

Entre sus favoritas están las de bichos,
que luce en la cacería anual de bichos.

También le gustan las brillantes que
combinan con su traje de Halloween.

Y sus preferidas son las gafas
de color rosa, a juego con sus patines
de color rosa.

Pero todo cambió el día en que asistió a la
Real Academia de Princesas Perfectas.

—¡Oh… oh, no! —balbuceó una de las
princesas en cuanto la princesa Belinda entró
en la sala—. ¿Qué es lo que llevas sobre tu nariz?

Otra princesa dijo riendo:

—Es un par de ojos extra, Grumbelina.

—Te equivocas —dijo otra—; es un búho, no una princesa.

Risitas y resoplidos llenaron la habitación.

Entonces la Gran Profesora entró muy agitada
en el salón.

—Princesas, el Gran Baile Real tendrá lugar esta noche.
¡Conoceréis al Gran Príncipe!

La princesa Grumbelina susurró:

—Es mejor que la princesa Belinda no aparezca con
esas horribles gafas o dará un horrible espectáculo.

Las otras princesas se rieron.

La princesa Belinda salió corriendo de la habitación.

La princesa Belinda
le ordenó a su lacayo que trajera
el baúl y allí tiró todas sus gafas,
incluidas las que llevaba puestas.

—Ahí os quedáis —sollozó—.
Ahora ya no seré diferente a
las otras princesas.

Satisfecha, la princesa Belinda volvió al salón de clases.
Quería enseñarles a Grumbelina y a las otras princesas que
ella no necesitaba gafas. Pero allí no había nadie.

Creo que están en los jardines —dijo una doncella.

La princesa Belinda salió de la escuela en dirección a los jardines reales.

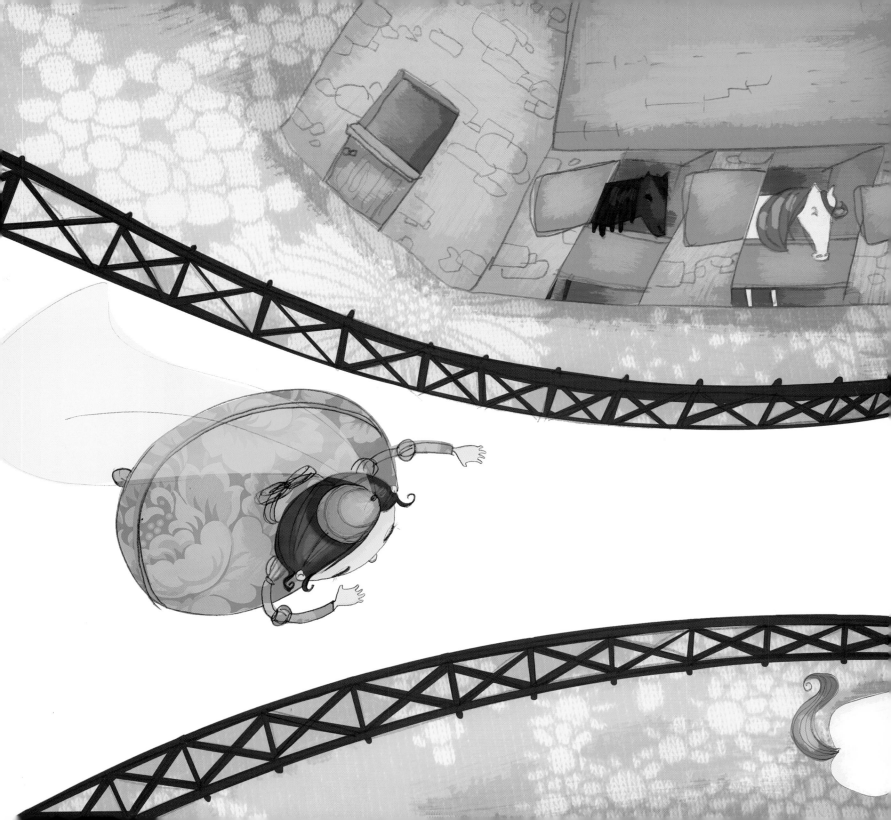

—Ahí está Grumbelina —dijo la princesa Belinda mientras corría hacia la otra princesa—. No necesito gafas, ¿ves?

—¡Hiiii! —relinchó Grumbelina.

—¿Qué? Bueno, sé que la Gran Profesora estará de acuerdo conmigo. ¿Dónde está?

—¡Hiiiii, hiiiiii! —volvió a relinchar Grumbelina.

—¿Ahí? Ah, está con el paje en los calabozos. Gracias.

Antes de irse, la princesa Belinda se acercó y susurró:

—Grumbelina, ¡necesitas lavarte los dientes!

La princesa Belinda se fue corriendo hacia los calabozos.

Había bastante barullo con tantos guardias yendo de acá para allá.

—Pues huele muy bien en estos calabozos —dijo la princesa Belinda.

Entonces Belinda vio a la Gran Profesora... ¡tirada
en el suelo! Llevaba como siempre su capa marrón
y blanca.

—Oh, Gran Profesora, ¿qué te han hecho los pajes?

—¡Guau! —ladró la profesora.

—¿Ahuug? ¿Te han hecho daño los pajes?

—preguntó la princesa Belinda—. ¡Sinvergüenzas!
Llamaré a los guardias ahora mismo.

La princesa Belinda se
dio la vuelta rápidamente y
tropezó con un guardia que
derramó barro pegajoso
y cuerdas sobre ella.

—¡Recórcholis!
Mira por dónde vas —le ordenó
la princesa— o bañarás con eso
también a la Gran Profesora.

—Lo siento mucho, su alteza —dijo el guardia—, pero no soy un guardia. ¡Soy el cocinero! Y esto de aquí no es la Gran Profesora, ¡sino Duke, la mascota real!

—¡Caracoles! —exclamó la princesa Belinda. Y entonces se acordó del baile.

—¡No puedo ir a ver al príncipe con esta pinta!

La princesa se marchó a su habitación para arreglarse.

La princesa Belinda pasó horas
vistiéndose. Luego se miró al espejo
y pensó que estaba perfecta para
conocer al príncipe.

—¿Ves? —se dijo a sí misma—. No necesito gafas.

Cuando la doncella entró,
la princesa Belinda le preguntó:
—¿Qué tal estoy?
—Ummm, estás, umm…
¡sorprendente! —dijo la
doncella.

La princesa se apresuró hacia el salón de baile.

Hacia
la Torre

—¡Oh, caramba! —dijo la princesa Belinda—. Llego pronto.

—Pero no se puso nerviosa—. Ensayaré mis pasos de baile mientras espero.

Así que se puso a dar vueltas alrededor de la habitación como si estuviera bailando con el príncipe.

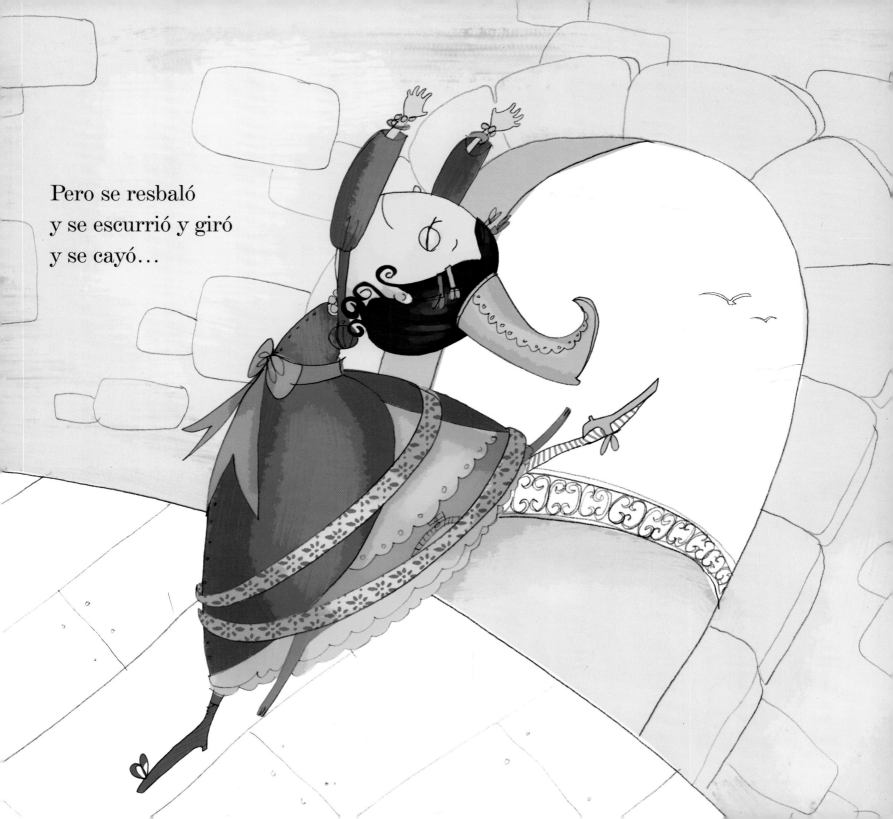

Pero se resbaló
y se escurrió y giró
y se cayó…

¡...por la ventana!

—¡Ahhhh! —gritó la princesa Belinda.

¡Booooooooom!

—¡Madre mía! —dijo
Belinda—. He tenido suerte
de caer sobre este caballo.
Y le dio unas
palmaditas en la
cabeza al caballo.

—Señora —dijo
el caballo—, si no
recuerdo mal, soy
el príncipe Vebién.

—¡El Príncipe! —exclamó ella—.
Oh, vaya. Necesito mis gafas.
      —¿Llevas gafas? —preguntó el
Príncipe—. Porque yo sí.

Y fue amor a primera vista...

...¡después de que se pusieron
las gafas!

Y vivieron felices para siempre.

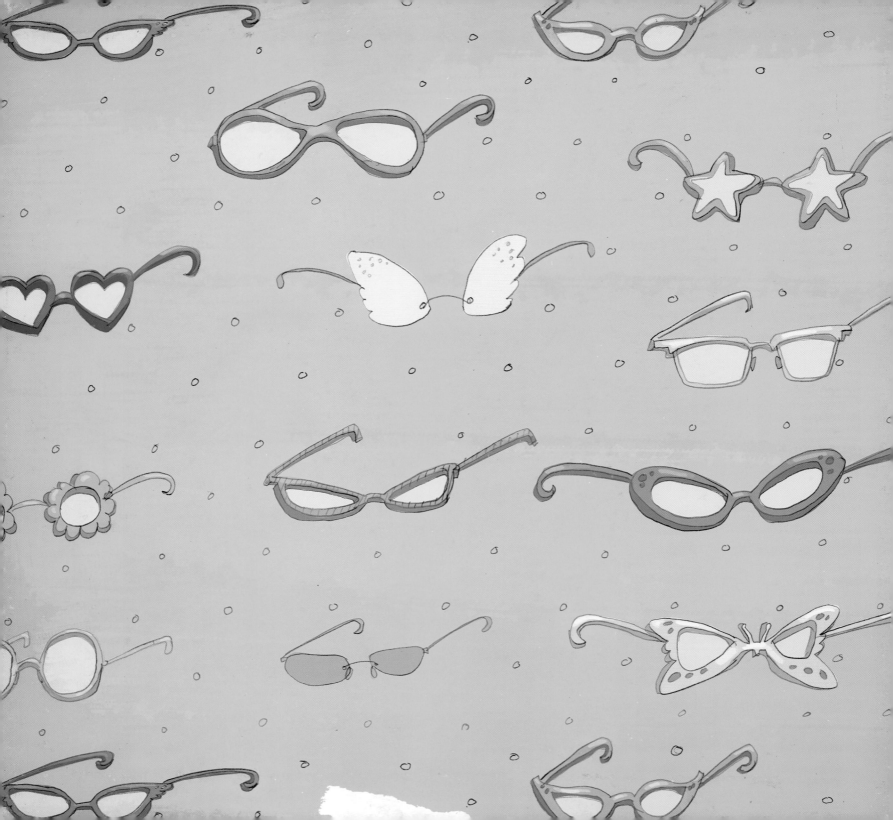